sterrenstof

Vlokje ontvoerd!

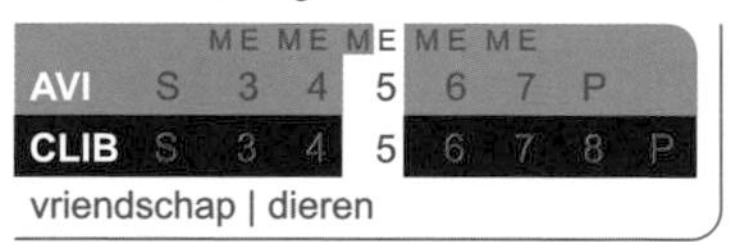

© 2009 Educatieve uitgeverij Maretak, Postbus 80, 9400 AB Assen

Tekst: Lida Dijkstra
Illustraties: Marja Meijer
Vormgeving: Heleen van Keulen
DTP Gerard de Groot
ISBN 978-90-437-0357-4
NUR 140/282
AVI E5

Vlokje ontvoerd!

Lida Dijkstra

illustrator Marja Meijer

1 In de uitverkoop

'Blijf van me af', zei het witte konijntje boos.
Hij duwde de cavia opzij en wipte naar de andere kant van de glazen bak. Maar Brutus, de cavia, achtervolgde hem. Hij zette zijn tanden weer in de vacht van het witte konijntje.
Konijn naar links. Brutus naar links. Konijn naar rechts.
Brutus naar rechts.
Zo renden ze heen en weer in hun bak. De hele dag.
Ze woonden in de dierenwinkel. Om hen heen stonden andere bakken. Met cavia's, konijnen, ratten en muizen.
Links van het gangpad stonden vogelkooitjes.
In de winkel was ook een man met een bril. De dieren noemden hem 'de voerman'. Want hij gaf hun elke dag voer.
Het witte konijntje was nog vrij jong. Een paar dagen geleden was hij in de winkel gekomen. Hij moest erg wennen. Het was er altijd licht en lawaaiig.
De voerman had meestal een krijsende papegaai op zijn schouder. Het konijntje vond hem eng. Maar niet zo eng als Brutus. Dat hij nou net met die naarling in één bak terecht moest komen.
'Waarom knaag je steeds aan mijn haren?', klaagde het konijntje. 'Ga op je nagels bijten. Dat doet de voerman ook.'
'Ham ham', knaagde Brutus. 'Ik kan het niet helpen. Haar is zo lekker. Als ik knaag, voel ik me beter. Jam ham ham.'
'Nou, ik zie er ondertussen uit als een zwabber', zei het witte konijntje boos. 'Allemaal happen uit mijn vacht. En mijn haar staat alle kanten op.'

‘Kan mij wat schelen’, zei Brutus. ‘Jam ham ham. Haartjes, haartjes.’
‘Ik bijt terug, hoor’, dreigde het witte konijntje.
Maar hij wist dat hij dat nooit zou doen. Met een zucht sprong hij achter het voerbakje.
Opeens viel er een schaduw over het hok.
‘Wegwezen!’, riep Brutus en hij schoot een plastic speelhuisje in.
‘Hoezo?’, piepte het witte konijntje.
‘Mensen die “klant” heten’, klonk Brutus’ stem dof vanuit het huisje. ‘Die nemen je mee.’
Het witte konijntje knipperde met zijn ogen.
‘Waarheen?’
‘Dat weet niemand’, zei Brutus. ‘Maar als je weg bent, kom je nooit meer terug. Misschien eten ze je wel op.’
Het witte konijntje rilde.
‘Nee toch?’
‘Die vind ik lief’, klonk een stemmetje boven hem. ‘Die witte. Met dat grijze neusje. Ah, zijn oortjes zijn ook een beetje grijs. Mag ik hem aaien?’
Benauwd keek het witte konijntje omhoog. Een kleine en een grote klant keken naar hem. De voerman kwam erbij staan.
‘Natuurlijk’, zei hij.
Hij deed het deksel van de bak open. De kleine klant stak haar arm in de bak.
Het witte konijntje maakte zich plat. Hij drukte zich in het zaagsel. Hij kneep zijn ogen stijf dicht. Tot hij gewrijf over zijn rug voelde. Dat voelde wel fijn.
‘Ah, lief. Hij is heel zacht’, zei de kleine klant. ‘Mag ik hem vasthouden?’
‘Je gaat eraan!’, bromde Brutus in het huisje.

‘Wat ziet zijn vacht er merkwaardig uit’, zei de grote klant. ‘Met al die verschillende lengtes haar. Is het soms een speciale soort?’
De voerman schraapte zijn keel. Terwijl hij het witte konijntje uit de bak tilde, zei hij: ‘Ik ben bang dat dat door die cavia komt. Die vreet hem aan.’
‘Och, wat gemeen’, zei de kleine klant.
Precies, dacht het witte konijntje tevreden. Heel gemeen.
Hij zat intussen op de arm van de kleine klant. Hij liet zich aaien. Ze zag er lief uit. Haar haar was rood. Met krullen. Op haar neus en wangen zaten bruine vlekjes.
‘Komt dat wel weer goed?’, vroeg de grote klant. ‘Met die vacht?’
‘Zeker wel’, zei de voerman. ‘Dat haar groeit wel weer aan. Zodra die cavia niet meer in de buurt is.’
‘Mag ik deze, mama?’, zei de kleine klant.

‘Ik weet het niet’, twijfelde de grote klant die ‘mama’ heette.
‘Het is geen mooi konijn. En je wilt toch met hem naar de Jonge Dierendag? Met dit konijntje win je geen prijs, meid. Hij ziet er niet uit. Gerafeld. En vlokkerig. Zullen we nog even verder kijken?’
‘Nee, ik wil deze!’, zei de kleine klant koppig. ‘Want ik vind hem zielig.’
‘Niet zo zielig als wanneer ze je opvreten’, riep Brutus vanuit het plastic huisje.
‘Is het een mannetje of een vrouwtje?’, vroeg mama.
‘Ik zal even voor u kijken’, zei de voerman.
Hij pakte het witte konijntje en hield hem ondersteboven.
‘Wow. Zet me neer. Niet doen!’, sputterde het witte konijntje.
Hij trappelde.
‘Rustig maar’, lachte de voerman.
Hij blies over de buik van het konijntje. En tussen zijn poten. De haartjes gingen alle kanten op staan.
‘Koud. Niet fijn’, piepte het witte konijntje. ‘Zet me neer.’
‘Het is een meneertje’, zei de voerman.
‘Een jongenskonijn?’, vroeg de kleine klant.
Het witte konijntje spartelde. Zijn hart bonkte in zijn keel. Gelukkig draaide de voerman hem weer om.
‘Heb je niet liever een vrouwtje?’, zei mama. ‘Die kan jonkies krijgen.’
De voerman zette hem intussen weer op de arm van de kleine klant.
‘Normaal kost een konijn vijftien euro’, zei de voerman. ‘Maar deze is niet zo mooi. Die mag u wel voor een tientje meenemen.’
‘Haha! Je bent in de uitverkoop. Wat een sukkeltje ben je ook’, riep Brutus.

'Ik wil dit konijntje echt heel graag hebben, mama', zei de kleine klant. 'En dan noem ik hem Vlokje.'
'Vlokje?', zei mama.
'Vlokje!', zei Brutus en hij gierde het uit. 'Wat een duffe naam.'
'Ik vind het een leuke naam', zei het witte konijntje boos.
'Ja, Vlokje', zei de kleine klant. 'Want hij is zo wit als sneeuw. Net een vlokje. En zijn vacht ziet er vlokkerig uit.'
'Dat heb je mooi bedacht', zei mama lachend. 'Dus Vlokje gaat met ons mee naar huis. Vooruit dan maar.'
Ze haalde een rood briefje uit haar portemonnee en gaf dat aan de voerman.
'Even een doosje halen', zei die.
'Het is gebeurd met je, sukkeltje', riep Brutus. 'Je bent verkocht! We zien je nooit meer terug! Haha.'
'Misschien word jij ook wel verkocht!', zei Vlokje. 'Vandaag of morgen.'
'Ha, ik kijk wel link uit', bromde Brutus. 'Ik laat me niet verkopen. Nooit! Dan bijt ik. En krab ik. En hap ik. Ik blijf hier wonen. Elke klant is een boef.'
Vlokje voelde zijn hart tekeergaan. Was de kleine klant een boef? Ze leek anders lief. Maar misschien was ze dat niet. Moest hij bang zijn?
Hij werd in een kartonnen doosje gestopt. Het zat vol gaatjes. Het deksel ging erop.
Vlokje probeerde door een gaatje te gluren. De wereld bewoog.
'Wees maar niet bang', zei de kleine klant. 'We zijn zo thuis.'
Thuis. Wat zou dat zijn?, dacht Vlokje.

2 Max mus

Thuis was groot en groen. Thuis rook heerlijk zoet. Dat kwam door de gekleurde dingen die tussen het gras stonden. 'Bloemen', noemde de kleine klant die.
Ze had hem zojuist uit het doosje gehaald. Vlokje knipperde met zijn oogjes.
'Zo. Je mag weer los', zei de kleine klant.
'Pas op dat hij niet ontsnapt, Brit', zei mama.
En Vlokje begreep dat de kleine klant Brit heette.
Brit schoof twee schuifjes opzij en deed een deurtje open. Heel voorzichtig zette ze Vlokje op het stro. Het deurtje ging weer dicht.
'Wow', zei Vlokje. 'Donker.'
Hij vroeg zich af waar hij was. Hij keek rond. Groen hout om hem heen. Hij zat in een soort puntig hutje. Naast hem stond een bakje voer. Voor hem zat een gat waardoor licht naar binnen stroomde.
'Dit is je nieuwe ren', zei Brit. 'Hij is knettermegasuperoud. Maar papa heeft beloofd dat hij een nieuwe gaat timmeren. Kom dan, Vlokje. Kom dan naar buiten.'
Dat leek Vlokje geen goed idee. Hij wist niet wat 'knettermegasuper' was. Hij wist niet wat 'papa' en ook niet wat 'timmeren' was. Hij bleef liever zitten waar hij zat. Hij snuffelde eens aan het voerbakje. Het eten rook goed. Maar trek had hij niet.
'Kom dan naar buiten', zei Brit. 'Kom maar, kleine Vlok. Ik heb lekkere blaadjes voor je geplukt. En in je bakje zitten

knabbelhapjes. Speciaal voor konijntjes zoals jij. Dat stond op het pak. *Knabbelhapjes voor de Kleine Knager.*'
Vlokje zag in de verte een takje met groene blaadjes heen en weer zwiepen. Maar hij durfde er niet naartoe.
'Laat hem maar even', klonk mama's stem.
'Maar ik wil met hem spelen', zei Brit.
'Hij moet even wennen. Hij heeft veel meegemaakt. Hij moet zijn nieuwe omgeving ontdekken.'
'Hij is toch niet ziek?', vroeg Brit.
'Ben je mal', zei mama. 'Hij begrijpt er alleen niks van. Als jij opeens in een ander huis werd neergezet, hoe zou jij dat vinden?'
'Ja, dat is vast raar', zei Brit.
Door het gat zag Vlokje dat ze opstond.
'Kom maar even mee naar binnen', zei mama. 'Dan zet ik een kopje thee. En zullen we daarna appelflapjes gaan bakken? Ik heb van de buurvrouw een emmertje appels gekregen. Van hun eigen boom.'
'Zal ik de buurvrouw dan straks een paar appelflapjes brengen?', vroeg Brit.
'Wat een goe...'
Het laatste kon Vlokje niet meer verstaan. Brit en mama verdwenen om de hoek van het huis.
Vlokje was alleen. Hij gluurde door de opening waar licht uit kwam.
Op de grond lag geen zaagsel, maar er waren groene sprieten. Vlokje schoof naar de sprieten toe. Hij stak een pootje over de rand van het nachthok. Het voelde koud aan. En het kriebelde. De andere pootjes volgden. Toen was hij buiten. Hij keek omhoog.
'Wow!', zei Vlokje.
Het deksel zat me toch een eind weg. En het was blauw!

Lichtblauw, met hier en daar witte ... eh ... witte ... donsdingen.
Vlokje wipte door de groene sprieten. Zover hij kon komen. Ademloos bleef hij omhoog staren.
De donsbeesten dreven door het blauw. Ze veranderden af en toe van vorm. Soms dacht Vlokje iets te herkennen. Een voerbak. Of een klant met een rare neus.
Rrrroef, hoorde hij opeens naast zich. Een vogel was neergestreken.
'Dag nieuw konijn', zei de vogel.
Vlokje vond hem wat saai. In de dierenwinkel zaten een heleboel vogels. Maar die waren felgeel. Of blauw. Ze hadden kuifjes. Of zwart-wit gestreepte kopjes. Deze was grijs met bruin.
'Dag vogel', zei Vlokje.
'Zeg maar Max', zei de vogel. 'Max mus. Zo heet ik.'
'Vlokje', zei Vlokje.
'Aangenaam', zei Max mus. 'En, bevalt de ren wat, kereltje? Zeg, zijn dat knabbels? Geen bezwaar dat ik er eentje meepik, toch?'
'Eh ...', zei Vlokje.
'Een prater ben je niet, zeker?', zei Max.
Hij sprong het nachthok in en begon aan Vlokjes voer.
'Misschien kan ik je een beetje wegwijs maken? Ik woon al jaren in deze buurt.'
'Waar woon je dan?'
'Meestal onder de pannen van het huis', zei Max mus. 'En verder ... Ach, dan eens hier, dan eens daar. Ik hip van hok naar hek. Van hot naar haar. Mmm, goed voer. Moet jij niks?'
Vlokje wipte naar zijn bakje. Hij at een paar knabbels. Ze waren lekker vers.

'Max', zei hij toen. 'Mag ik met je mee? Naar hot en haar?'
Max mus keek op.
'Dat kan toch niet?', zei hij. 'Jij zit in een ren, dommie.'
Vlokje keek niet-begrijpend.
'Heb je niet gemerkt dat er overal gaas zit?'
'Gaas?'
'Ik kan erdoorheen. Maar jij niet.'
Max mus zuchtte.
'Jij moet nog veel leren, kereltje.'
Vlokje haalde verlegen zijn schouders op.
Max legde Vlokje uit wat een ren was. En wat een tuin was. Dat deze tuin van de familie Klaver was. En dat de familie bestond uit Brit, mama en papa. Hij legde uit wat 'gras' en 'lucht' en 'wolken' waren.
Vlokje luisterde met open mond. Wat wist die Max veel.
Na een halfuurtje zei Max: 'Dat was wel genoeg voor les één.

Heb je nog vragen?'
'Ja', zei Vlokje. 'Mama heb ik gezien. Maar wat is "papa"?'
'Oei', zei Max. 'Hoe leg ik dat uit? Een papa is net als een mama. Maar meestal groter. En met meer haar op zijn benen. De meeste papa's houden van voetbal, auto's en lekker eten. Veel papa's zijn overdag niet thuis. 's Avonds zijn ze er weer. In het weekend slapen ze uit. Op zaterdag maaien ze het gras.'
Vlokje knikte tevreden. Wist hij dat ook weer.
'Ik moet nu gaan', zei Max. 'De oude mevrouw aan de overkant strooit rond deze tijd broodkruimels.'
'Kom je snel weer terug?', vroeg Vlokje.
'Tuurlijk, kereltje', zei Max. 'Want ik moet je nog veel meer leren. Welke plantjes het lekkerst smaken. Wat onweer is. Wat goede dieren zijn. En wat slechte dieren zijn.'
'En wat knettermegasuper is!', zei Vlokje blij.
'Knettermegawat?', vroeg Max.
En dat viel Vlokje toch wat tegen. Want hij had gedacht dat Max alles wist.

3 Een slecht dier

Vlokje vond Brit aardig. Ze zat vaak bij hem. Soms mocht hij op haar arm. Dan liep ze met hem over het grasveld en liet ze hem van alles zien. De waterlelies in de sloot. De kikkers aan de kant.
Ze aaide hem over zijn rug. En kriebelde achter zijn oortjes. Heerlijk vond Vlokje dat. Ze knoopte vaak een strikje rond zijn oor. 'Wat ben je beeldig', zei ze dan. Dan was Vlokje reuzetrots.
Brit verzette iedere dag zijn ren. Door het gaas aan de onderkant stak dan vers gras. Brit brak ook iedere dag takjes van een boom. Die takjes stopte ze door het gaas. De blaadjes daaraan waren Vlokjes lievelingskostje. Wilgenblaadjes. Mmm.
Vlokje geloofde allang niet meer dat Brit hem op wou eten. Ze was lief. Nou ja, behalve als hij aan zijn hok knaagde. Dan was ze streng. Maar hij deed het lekker toch. Zo hield hij zijn tanden sterk. En hout smaakte prima. De balkjes aan beide kanten van de oude ren werden wel steeds dunner.
'Je maakt de ren kapot', zei Brit tegen Vlokje. 'Maar papa gaat hem repareren. Als hij tijd heeft.'
Vlokje wist allang dat papa nooit tijd had. Niet voor timmeren, in ieder geval.
Max kwam elke dag langs. Om mee te eten. En te babbelen, natuurlijk. Vlokje leerde veel van de oude mus. Max vertelde over honden (die kon je horen blaffen), katten (er liep een rode door de tuin), padden (bruin), kikkers (groen) en

pissebedden (onder stenen). Over hagel, sneeuwvlokken, ijzel en mist. Over ziek en beter. Over uitgeput en uitgerust. Over oud en jong. Max was oud. Vlokje was jong, wist hij nu.
Aha, daar was Max alweer.
'Wat heb je vandaag gedaan?', vroeg Vlokje.
'Naar een terras geweest', zei Max met een knabbelhap in zijn snavel.
'Een terras?'
'Een plek met tafels en stoelen buiten. Mensen komen daar om wat te drinken en taart of patat te eten. Onder de tafels liggen altijd kruimels. Maar zo'n knabbelhap is ook heerlijk. Ik moest je nóg iets vertellen ... Wat was het ook alweer ... O ja. Er is hier in de buurt een vos gezien.'
'Wat is een vos?'
'Een dier. Ongeveer zo groot als een hond. Heel slim. Met een pluimstaart.'
'En wat zou dat?'
'Een vos is een slecht dier. Hij eet kip. En muis. En ook heel graag konijn.'
'Nee toch', zei Vlokje. 'Konijn? Zoals ik? Wat eng. Maar ik zit in een ren. Dan ben ik toch veilig? De vos kan niet bij me.'
'Gelukkig maar', zei Max. 'Ai, daar komt Karel. Ik ben weg. Doei!'
Vlokje draaide zich om. De rode kater van de buren liep langs de slootkant. Hij was al een paar keer langs geweest. En dan zei hij rare dingen. Vlokje vond hem een griezel. Toen Karel Vlokje zag zitten, wandelde hij sloom naar de ren. Hij duwde zijn brede kattenkop tegen het gaas. Vlokje roetsjte zijn nachthok in.
'Dag lekker hapje', zei Karel.

Hij maakte smakgeluiden.
Vlokje durfde niks te zeggen.
'Hé, hapje. Ik heb nog niet gegeten vandaag', zei Karel.
'Ga dan naar huis', antwoordde Vlokje. 'Daar staat je bak met voer.'
'Ik heb geen zin in droog voer', zei Karel. 'Ik wil konijn.'
'Ik dacht het niet', zei Vlokje.
'Ik zal je voorzichtig opeten', teemde Karel. 'In één hap. Het doet vast geen pijn.'
Vlokjes hart klopte zo hard dat hij er hoofdpijn van kreeg.
'Je bent een slecht dier', piepte hij.
'O? Ook niet aardig', zei Karel.
Hij stond traag op.
'Wat ben jij een onaardig hapje, zeg. Nou ja. Dan ga ik maar. Dag hapje.'
Karel schoof weg. Zijn buik sleepte over de grond.
Vlokje hoopte dat de kater ontzettend lang weg zou blijven.
Hij vergat Karel gelukkig meteen weer toen Brit aan kwam huppelen. Ze had een wortel bij zich.
'Wij eten vanavond peentjes, Vlokje', zei ze. 'Ik vind ze vies. Maar jij niet. En daarom krijg jij een heel grote. Heb ik vanavond tenminste weer eentje minder.'
Dankjewel, dacht Vlokje. En hij at de wortel helemaal op.
'Ik moet je nog iets vertellen', zei Brit. 'Op de eerste van de volgende maand is er een wedstrijd in ons buurthuis. De Jonge Dierendag. Het is voor kinderen en hun huisdier. Je mag ernaartoe met je konijn. Of je kip. Of je cavia. En het leukste dier wint. Mijn vriendinnetje Els gaat ernaartoe. Met haar konijntje Droppie. En nou dacht ik: jij en ik kunnen ook wel gaan. Niet om iets te winnen, hoor. Je vachtje is nog wel erg raar. Maar gewoon, voor ons plezier. Dan gaan we met zijn vieren. Els, Droppie, jij en ik.'

Vlokje wiebelde met zijn neus.
'Dat is dan afgesproken', zei Brit. 'Dan moet ik je wel gaan borstelen en kammen. Iedere dag. Vanaf nu. Alle klitjes uit je vacht. En we gaan je nagels knippen.'
Ze deed het luik in de ren open en pakte Vlokje op. Goedig liet Vlokje haar begaan.
Brit zette hem op de tuintafel. Ze haalde een borstel tevoorschijn en begon hem zachtjes te borstelen.
Lekker, dacht Vlokje. Net aaien.
Hij wipte naar Brit toe. Hij ging op zijn achterwerk zitten en zwaaide met zijn pootje. Brit klapte in haar handen.
'Zwaai je naar me? Wat knap!'
Vlokje liet zich weer vallen. Hij stak zijn neusje onder haar oksel. En toen zijn hele kop. Brit lachte.
'Gekkerd', zei ze. 'Vandaag krijg je een geel strikje om je oor. Hoe vind je dat?'
Vlokje vond het geweldig.

4 Niemand

Vlokje kreeg alles wat zijn hartje begeerde. Knabbels. Water. Aaitjes. Een bal met een rinkelend belletje, waarmee hij vaak speelde. Iedere dag kreeg hij een strikje in een andere kleur om zijn oor. Hij mocht ook heel vaak in huis spelen. Dan keek hij samen met Brit naar de televisie. Of hij zat onder de antieke kast. Dat vond hij gezellig. Net of hij in een hol zat.
Vanmiddag had hij alweer uren met Brit gespeeld. Als hij naar haar zwaaide, kreeg hij een knabbel. Dus dat deed hij vaak.
Tegen de avond had Brit hem weer in de ren losgelaten. Hij had wilgenblaadjes gekregen. Toen het donker werd, ging hij slapen. Hij droomde van een schuur vol Knabbelhapjes voor de Kleine Knager.
Hij lag in het hoekje van zijn hok. Achter het voerbakje.
Opeens schrok hij wakker. Wat was dat voor geluid?
Geknaag. Gegraaf.
'Wie is daar?', riep Vlokje.
'Niemand!', klonk een stem.
Wat een rare naam, dacht Vlokje.
Hij riep: 'Wat kom je doen, Niemand?'
'Ik kom even langswippen. Ik heb gehoord dat hier een nieuw konijn woont. Ik ben dol op konijnen', zei de stem.
'O, dat is aardig', zei Vlokje.
Hij hipte het gras in. Aan het eind van het gaas stond een dier. Hij knaagde aan de latten van de ren.
'Hou je ook zo van hout?', vroeg Vlokje opgewonden.

En hij knaagde aan zijn kant mee.
'Lekker spul, hè?'
'Nou, smullen', zei het dier.
Het klonk of hij het niet meende. Maar hij knaagde wel door.
'Het moet stuk. Dan kan ik bij je', zei hij.
'Waarvoor dan?', vroeg Vlokje.
'Pootje geven. Zoals vrienden doen', zei het dier.
Hij trok zijn bovenlip op. Vlokje zag een rij scherpe tanden.
Hij wist niet zeker of hij Niemand wel een pootje wou geven.
'Eh ... wat voor dier ben je eigenlijk?', vroeg Vlokje.
'Een Vulpes', zei Niemand. 'Dat is mijn ingewikkelde naam.'
Vlokje schudde zijn kop.
'Vulpes? Nooit van gehoord.'
'Wij Vulpessen zijn nogal schuw', zei Niemand. 'Knaag eens verder, konijn. Dan kan ik je op... eh ... optillen om je een kusje te geven.'
Vlokje stopte met knagen. Hij bedacht opeens iets.
'Niemand', vroeg hij daarom. 'Heb je ook een staart?'
Niemand had zijn tanden intussen in het gaas gezet. Hij trok er hard aan.
Vlokje wipte een metertje naar rechts. En toen kon hij Niemands staart zien. Het was een pluimstaart.
Vlokje slikte.
'Eh ... heb je ook nog een gewone naam?', vroeg hij.
Het gaas stond krom. Niemand trok. Het aangevreten latje begaf het. Er ontstond een gat. Niemand grauwde. Hij stak plotseling zijn kop het hok in.
Vlokje gilde. Hij vluchtte naar zijn nachthok. Maar er was geen houden meer aan. Niemand wrong zijn hele lijf de ren

in. Hij wurmde zijn kop door het gat in het hok.
Vlokje zag zijn bek vlakbij. Blikkerende tanden. Kwijl.
'Ja, ik heb ook nog een gewone naam', zei de bek. 'Een naam die iedereen kent.'
'Is het soms ...', stamelde Vlokje en hij maakte zich zo klein mogelijk, 'vos?'
Hap, zei de bek.
Alles ging heel snel. Vlokje begreep nauwelijks wat er gebeurde. Hij ging de lucht in. Zijn lijf werd in elkaar gedrukt. De wind suisde om zijn oren. Zijn vacht werd nat van het kwijl. Boven hem zag hij sterren. Het leken wel strepen, zo hard schoven ze voorbij. Ruige varens en lange grashalmen schoten onder hen door.
'Help! Ik word ontvoerd!', huilde Vlokje.

5 De wachters van het Wortelveld

Vlokjes hele lijf deed pijn. De vos holde maar door. Blijkbaar wist hij goed de weg. Vlokje trapte en kronkelde. Maar dat hielp niet. Het beest hield zijn bek op slot.
Vlokje had zijn ogen angstig opengesperd. Hij voelde harde tanden door zijn vacht. Hij boog voorover. Misschien kon hij de vos in zijn lip bijten. Hij probeerde zich om te draaien.
Opeens klonk er een harde knal. De vos bleef stokstijf staan.
Hij keek rond. Zijn tanden drongen dieper in Vlokjes rug.
Vlokje kreunde. Het was nu of nooit. Met de laatste kracht die hij in zich had, draaide hij zich om. En hij beet keihard in de bek van de vos. Hij proefde bloed.
De vos liet hem vallen. Vlokje rolde een stukje door.
Weer klonk er een knal.
'Geweer', zei de vos hees.
Vlokje greep zijn kans.
Weg. Hij moest weg.
Hij strompelde naar wat struiken. Alles aan hem deed pijn.
Zelfs zijn snorharen. Hij keek achterom.
De vos stond nog steeds roerloos, met zijn neus in de lucht.
Hij had één voorpoot opgetild.
'Ik ruik mens', zei hij. 'Zwetende jager, om precies te zijn.'
Een derde knal. De haren op de rug van de vos gingen rechtop staan. Hij draaide eenmaal rond. Toen verdween hij tussen de struiken.
Vlokje merkte het niet. Hij was flauwgevallen.

Proestend kwam hij een poos later bij. Hij opende zijn ogen. Om meteen weer een plens water in zijn gezicht te krijgen. Hij schudde zijn kop.
'Hallo daar', zei een stem naast hem.
Vlokje keek wazig opzij.
'Wortelbommen. Wat is dat arme beest toegetakeld', zei een andere stem. 'Kijk eens naar die vacht. Er missen happen uit. Niet te geloven wat zo'n vos kan aanrichten. En wat heeft hij aan zijn oor hangen?'
Vlokje voelde dat iemand aan zijn lintje trok. Toch was hij niet meer bang. Want er stonden drie konijnen bij hem. Bruine konijnen.
Het eerste had een colablikje in zijn hand. Het water dat daarin zat, had hij over Vlokje heen gegooid. Het tweede konijn had een groene sok op zijn kop als een mutsje. Het derde had een sok als een sjaal om zijn nek geknoopt.
'Even voorstellen?', zei het eerste konijn. 'Ik heet Roef. En dat zijn mijn twee broers Rijk en Ringeling. De laatste wordt door iedereen Ring genoemd.'
Vlokje zei zijn naam. De drie bruine konijnen schudden meewarig hun kop.
'Wat een naam. Stakker toch. Vlokje? Nou ja, daar kun jij ook niks aan doen', vond Roef. 'Hoe heeft je moeder het verzonnen?'
'Brit heeft het verzonnen', zei Vlokje zacht.
'Brit?'
'De kleine klant. In de dierenwinkel.'
'Ho, wacht eens even', zei Roef. 'Dierenwinkel?'
'Een tam konijn', kreunden Rijk en Ring eensgezind.
Roef draaide met zijn ogen.
'We hadden het kunnen weten', zei hij. 'Je bent wit.'
Vlokje knikte.

'Een gewoon konijn is niet wit', zei Roef.
Vlokje werd boos.
'Ik ben heus wel een gewoon konijn.'
'Niet echt', zei Roef. 'Een gewoon konijn is wild. Net als wij. Jij bent niet wild.'
'Nou nee', gaf Vlokje toe. 'Ik ben nogal rustig.'
Rijk en Ring snoven.
'Wat heb je aan je oor hangen?', vroeg Ring.
'Een strikje', zei Vlokje trots en hij voelde met zijn pootje. Het was losgegaan en erg gekreukeld.
Rijk en Ring draaiden nu ook met hun ogen.
'We moeten eerst iets aan je witte vacht doen', zei Roef. 'Anders ben je zo de pineut. Die vos komt vast terug. En hij ziet je van een kilometer afstand. Rijk en Ring!'
'Ja, broer?'
'Maak een goeie hoop modder. Zwarte, weke blubber.'
'Ja, broer!'
Rijk en Ring verdwenen.
'De vos komt niet terug', zei Vlokje. 'Hij is bang voor de jager. Zijn jullie niet bang voor de jager? Hebben jullie die knallen niet gehoord?'
Roef grijnsde.
'Jawel', zei hij. 'Kom maar mee. Dan laat ik je zien waar de knallen vandaan kwamen.'
Vlokje volgde Roef. Door een woud van varens. Door hoog gras. Ze kwamen uit bij een kromme knotwilg. Er lag een grote steen onder. Boven in de boom hing iets. Vlokje vroeg zich af wat het was.
'Let goed op', zei Roef.
Hij hipte via een stapel hout omhoog. Nu zat hij boven in de boom. Hij pakte iets van een tak uit de knot. Een pan. Roef hield de pan precies boven de steen. Toen liet hij los.

De pan kwam neer met een oorverdovende knal. Net een geweerschot.
Roef grijnsde.
'Wat een knal, hè?', zei hij genietend. 'Dat houdt de vossen wel uit de buurt.'
En hij legde uit hoe hij aan de pan kwam. Zijn broers en hij hadden hem gevonden. In de hut van de jager. Daar hadden ze trouwens ook de sokken vandaan.
'De zweetsokken van Fokkeman. Zo heet de jager', legde Roef uit. 'Die dragen we voor de geur, zodat de vos denkt dat de jager er aankomt.'
Hij grijnsde weer.
'En in werkelijkheid ...'
'Zijn het drie konijnen', lachte Vlokje nu ook.
Hij wipte naar de gedeukte pan. Roef was intussen weer uit de boom gekomen.

'Het enige minpuntje van dit systeem ...', zei hij en hij pakte de pan. 'Help eens mee!'
'Wat dan?', vroeg Vlokje.
'De pan moet steeds de boom weer in', legde Roef uit. 'Hij moet altijd klaarstaan voor als er onraad dreigt.'
Samen sleepten ze de pan weer boven in de wilg.
Vlokje keek naar beneden.
Oei. Hij werd er duizelig van. Zo hoog was hij nog nooit geweest.
Hij kon ontzettend ver kijken nu. De akker onder hen reikte tot de horizon. Tussen de planten zag hij bewegende stipjes.
'Dat is het Wortelveld', wees Roef. 'Daar woont mijn familie.'
'Er staan wel honderd wortels', zuchtte Vlokje.
'Wel een miljoen', lachte Roef. 'We wonen er al sinds ... Nou ja. Altijd al. We zijn daar heel gelukkig. Mooie holen onder de grond. Eten in overvloed. Jammer dat die vos hier af en toe op rooftocht gaat.'
'Kunnen jullie niet gewoon vluchten voor die vos?', vroeg hij.
Roef ging gemakkelijk zitten.
'Dat kan wel. Maar wij willen hier blijven. Daarom zijn mijn broers en ik de wachters van het Wortelveld geworden.'
Vlokje liet zich op zijn achterwerk zakken.
'Wachters?'
Maar Roef ging er verder niet op in.
'Ha! Daar zijn Rijk en Ring weer. Kom. Naar beneden.'
Over de stapel hout klauterden ze de wilg weer uit. Vlokje was blij dat hij weer vaste grond onder zijn pootjes voelde.
Ja, daar kwamen Rijk en Ring aan. Ze puften. Ze sleepten een plastic zak vol modder mee.
'Dit moet genoeg zijn', hijgde Rijk. 'Kom eens hier, Witje.'

En voor Vlokje besefte wat er gebeurde, kreeg hij een klodder modder op zijn rug gekletst.
Splets.
En nog een klodder. Rijk en Ring smeerden hem helemaal vol drek.
'Zeg, stop daarmee', zei Vlokje boos. 'Ik haat viezigheid.'
Splets. Spletter.
De bruine konijnen trokken zich niks van zijn gemopper aan.
'Doe nou niet', jammerde Vlokje. 'Ik wil netjes zijn. Ik ga met Brit naar de Jonge Dierendag. Het leukste dier krijgt een prijs.'
'Jammer dan', zei Roef. ' Maar je bent te wit. Voor roofdieren ben je een snoepje op een schaaltje. Het voelt misschien wat raar. Maar straks ben je prachtig bruin. Net als wij. Veel veiliger.'
Vlokje trok zijn neus op. De modder stonk. En het plakte aan al zijn haar.
Roef deed een stapje naar achteren.
'Ziezo', zei hij. 'Ziet er goed uit. Even laten drogen. En daarna leiden we je rond door het Wortelveld, het paradijs voor vrije konijnen!'

6 Knibbel roffelt

Vlokje had nog nooit zo veel konijnen bij elkaar gezien. Ze zaten overal tussen de wortels. Grote en oude konijnen, jonkies en hangoren. Allemaal waren ze bruin.
Roef maakte hier en daar een praatje. Hij stelde Vlokje voor. Bedeesd wipte Vlokje achter hem aan.
'Ik vind het lof lekker', zei een klein konijntje tegen Vlokje. 'Maar die wortels zelf lust ik niet.'
'Niet zeuren, Knibbel', zei zijn moeder. 'De wortels zijn het gezondst. Niet waar, meneer Vlokje?'
'Eh ...', zei Vlokje. 'Ik weet het niet zo goed. Van Brit kreeg ik altijd Knabbelhapjes voor de Kleine Knager. En wilgenblaadjes.'
'Wat is een Brit?', vroeg Knibbel.
'Mijn kleine klant.'
'Vlokje heeft bij mensen gewoond', kwam Roef tussenbeide. 'In een ren. Achter gaas.'
'Aaaah', hoorde hij van alle kanten.
Hij keek om zich heen. Veel konijnen waren gestopt met eten. Ze staarden hem aan.
'Hielden mensen u gevangen, meneer Vlokje?', vroeg Knibbel met een klein stemmetje.
'Brit was heel lief', zei Vlokje. 'Ze zorgde voor me. Ze kamde me, aaide me en deed elke dag een ander strikje om mijn oor.'
'Aaaaah', klonk het weer.
'Ik vond het helemaal niet erg', zei Vlokje scherp. En toen

zachter: 'Ik mis haar. Ik wil best naar huis. Maar ik weet niet waar thuis is.'
Roef gaf hem een klap op zijn schouder.
'Doe niet zo mal', zei hij. 'Je kunt nu bij ons wonen. Bij de vrije konijnen. Je kunt doen wat je wilt. Lopen waar je wilt. Eten wat je wilt. Kom maar, dan laat Ring je het hol zien.'
'Mag ik mee?', zei Knibbel.
Ring zei dat het mocht.
Vlokje had de ingang van het hol over het hoofd gezien. Maar Ring haalde wat mos voor de verborgen opening vandaan. Via een smalle pijp kwamen ze in een woonkamer. Er zaten een paar konijnen te praten.
'Gezellig', zei Vlokje.
Maar eigenlijk vond hij het er nogal muf ruiken.
'Verderop is een vluchtpijp', wees Ring. 'En als je hier doorheen loopt, kom je in de kraamkamer.'

'De kraamkamer?'
'Daar worden de kleine konijntjes geboren', zei Knibbel. 'Ik ben niet klein meer. Ik ben al groot.'
'Nou!', knikte Vlokje.
'Zal ik straks laten zien hoe goed ik al kan roffelen?', vroeg Knibbel.
Vlokje zei dat hij het graag wou zien. Alleen had hij geen idee wat roffelen was.
Toen Ring klaar was met de rondleiding, gingen ze grazen met de andere konijnen. Stoer beet Vlokje taai gras af, maar hij dacht verlangend aan de Knabbelhapjes voor de Kleine Knager.
Knibbel bleef bij Vlokje rondhangen.
'Zal ik u nu mijn roffelen laten zien, meneer Vlokje?', vroeg hij.
Vlokje vond het goed. Knibbel zocht een plekje waar geen gras groeide.
'Let op', zei hij. 'Ik begin met een eenvoudig basisritme. Vijf, zes, zeven, acht.'
Knibbel stampte regelmatig met een achterpoot op de grond.
Stamp, stamp, stamp.
Het was een strak geluid.
'Wat roffeltjes van vijf', zei Knibbel.
Hij stampte in een ingewikkelder ritme.
'En nu een vierde', zei hij. 'Een achtste.'
Het stampen werd sneller.
'Triooltjes', zei Knibbel.
Vlokje keek vol bewondering toe. Knibbels poot stampte sneller en sneller.
'Diddel, diddel', zei Knibbel en hij begon met zijn hele lijf mee te swingen. 'Diddel, diddel, flama diddel.'

Het werd een hele show. Van alle kanten waren jonge konijnen aan komen wippen.
'Jèè!', zei Knibbel. 'Pata fla fla, pata fla fla.'
Vlokje was sprakeloos van bewondering. Hij kon zwaaien met een voorpootje, maar wat Knibbel hier liet zien ...
'En nu de grote finale', zei Knibbel.
Hij schudde met zijn hele lijf, toen hij zijn allerlaatste energie weg roffelde.
'Papám!', riep hij tot slot.
Toen was het stil en zat hij na te hijgen.
De jonge konijnen begonnen te klappen. Vlokje deed mee.
'Wat knap, dat je dat kunt', zei hij tegen Knibbel.
Knibbel maakte een diepe buiging. Op dat moment kwam een oud konijn aanlopen.
'Roffelen is niet voor de grap. Roffelen is om andere konijnen te waarschuwen dat er een vijand aankomt', zei hij bars. 'Je moet stoppen met dat onzingedrum, Knibbel.'
'Goed, opa. Ik stop', zei Knibbel. En toen zijn opa weer wegliep: 'Voor vandaag.'

7 Naar thuis

Alle wilde konijnen hadden Vlokje aangenomen als een van hen. Hij woonde in het hol. Iedere dag smeerde hij zich in met modder om niet op te vallen. Hij at van de wortels op het veld. Als er gevaar dreigde, roffelde hij. Met de andere jonge konijnen sloop hij af en toe naar een afgelegen plek om naar Knibbels gedrum te luisteren. Maar echt gelukkig was hij nooit.
Hij miste Brit. Hij miste zijn ren en zijn balletje. Hij miste Max.
Vaak zaten er mussen in de bomen rond het wortelveld. En altijd keek hij even of zijn vriend er misschien ook tussen zat.
Ook nu hoorde hij weer een mus.
'Tjiep tjiep, tèk, tèk.'
Zó klonk Max. Vlokje draaide met zijn oren. Als hij niet beter wist, zou hij echt denken dat het ...
Rrrroef. Het geluid van vlugge vleugeltjes. Een vogel streek naast hem neer.
'Jij bent een eind van huis, kereltje. Ik heb me een kriek gezocht. Lieve help, wat ben je smerig!'
'Max!', juichte Vlokje. 'Hoe gaat het? Ik ben ontvoerd door een vos. Hoe is het met Brit?'
'Niet goed', zei Max. 'Rode oogjes. Snotneusje. Ze huilt voortdurend omdat ze je kwijt is. Iedereen denkt dat je opgegeten bent. Verenbossen nog aan toe, weet je hoe je ren eruitzag? Het gaas was aan stukken gescheurd. En het

grasveld zat vol gaten. Hoe is het mogelijk dat je nog leeft? Wat zal Brit blij zijn als ze je weer ziet!'
Roef kwam aanspringen.
'Hij gaat niet terug. Hij wil vrij zijn.'
'Nou ...', zei Vlokje. 'Dat wil zeggen ...'
'Je laat je toch niet weer opsluiten?', vroeg Ring.
'Opsluiten wil ik het niet noemen. Ik had best een ruime ren', zei Vlokje zacht. 'En ik hou van knabbels. En ik had een bal met een bel.'
Roef sloeg met zijn poot tegen zijn kop.
'Een bal met een bel', snoof hij.
Vlokje haalde een paar maal diep adem. Hij wilde de bruine konijnen niet beledigen. Maar hij wilde ook niet jokken.
'Ik wil eigenlijk best terug naar Brit, Roef.'
'Mooi', zei Max. 'Daar ben ik blij om. Dat meisje heeft zó'n verdriet. Ze heeft overal posters opgehangen in het dorp met je foto erop. En de papa heeft een oproep in de krant gezet. *Wie heeft ons konijn gevonden*, stond erboven. Ook weer met je foto.'
Vlokje was er stil van. Dat Brit zo veel moeite deed. Voor hem.
'Is thuis ver weg?', vroeg hij.
Max haalde zijn schouders op.
'Een uurtje vliegen.'
'En lopen?'
'Voor een konijn? Ik denk een half dagje.'
'Dan moet ik maar meteen gaan', zei Vlokje. 'Roef, Rijk, Ring. Dank jullie wel. Voor alles. Maar ik ga terug naar Brit. Ik kan eenvoudig geen wild konijn zijn.'
'Aaaah. Moet u echt weg, meneer Vlokje?', zei Knibbel.
En hij sloeg zijn pootjes om Vlokje heen. Die knikte.
'Ik wil graag naar Brit terug. Maar ik zal je missen. Ik zal

jullie allemaal missen. Max brengt me wel, hè Max? Dag allemaal. Dahààg.'
Vlokje zwaaide naar alle bewoners van het Wortelveld.
'Niet zo snel', zei Roef bars.
Vlokje schrok. Was Roef boos op hem?
Roef liep naar zijn broers toe. Ze staken de koppen bij elkaar en overlegden kort. Toen legden ze hun rechtervoorpootjes op elkaar alsof ze een plechtige eed zwoeren.
Roef liep naar Vlokje toe.
'We brengen je thuis', zei hij kortaf.
'Maar dat is toch niet nodig?', vroeg Vlokje.
Met een hoofdknik zei Roef: 'Denk je dat die mus je beschermt? Tegen de vos?'
'De bunzing?', zei Ring.
'De buizerd?', zei Rijk.
'We zijn het eens', zei Ring. 'Samen staan we sterk. De broers en ik gaan met je mee.'
'Mee?'
Vlokje liet zich op zijn achterwerk vallen.
'Maar hoe moet het dan met het Wortelveld?'
'De anderen passen er wel een tijdje op', zei Roef. 'Rijk, Ring en ik worden voor even de wachters van het Witte Konijn. Tot je weer veilig thuis bent.'
'Dank jullie wel', zei Vlokje. 'Jullie zijn echte vrienden.'
Hij slikte om de brok in zijn keel weg te krijgen.
'Mag ik ook mee?', klonk Knibbels heldere stemmetje. 'Ik wil ook wachter van het Witte Konijn worden.'
'Jij mag de wachters van het Wortelveld helpen', zei Roef. 'Kom maar. Dan laat ik je zien hoe je die harde knallen maakt.'
'Tof', zei Knibbel.

8 De dansgans

Ze vertrokken meteen. Max vloog voorop, Roef, Rijk en Ring hipten vrolijk achter hem aan. Vlokje volgde een beetje schuchter.
De bruine konijnen zorgden dat Vlokje lekker smerig bleef. Af en toe bleven ze bij een modderplas staan. Daar lieten ze hem dan doorheen rollen. Vlokje bleef het afschuwelijk vinden. Smerig was niet fijn. Maar Roef zei dat het moest voor zijn eigen veiligheid.
Ze liepen door maisvelden, door een stuk heide en dwars door een eikenbos. Af en toe bleven ze staan om een poepje te doen of wat blaadjes te eten. Of aan een boomstam te knagen. Dát vond Vlokje wel heel erg fijn. Veel beter dan knagen aan zijn ren. Max ging dan in een boom zitten.
Ze hadden al een hele poos gelopen. Maar niemand klaagde. Vlokje leerde een boel van de broers. Waar de zon opkwam en waar hij onderging. Wat de beste schuilplekjes waren. Welke planten je beter niet kon eten.
Een brommend geluid kwam steeds dichterbij.
'We gaan de kant van de snelweg op', riep Max vanuit de lucht.
Toen ze tegen een helling op klommen, zag Vlokje de snelweg. Hij dook meteen in elkaar.
Auto's. Allemaal auto's. Rode en zilveren, vrachtauto's, een bus. Ze raasden voorbij als woedende monsters. Lawaai. Stank. Uitlaatgas. Warme wind waaide om hun oren.
Max streek naast de konijnen neer.

'Nu oversteken', zei hij.
'Hierover? Dat meen je niet', zei Roef. 'Dat kan toch nooit?'
'Konijnen zijn toch zo snel?', zei Max. 'Gewoon goed uitkijken. Eerst naar links. Daarna naar rechts. Dan nog een keer naar links. En als er niks aankomt, oversteken!'
'Maar er komt altijd wat aan', zei Roef boos. 'Terwijl we hier staan, zijn er wel honderd auto's langsgeraasd.'
'Jullie willen Vlokje toch naar huis brengen?', vroeg Max streng. 'Dan moeten jullie toch eventjes doorzetten. Er valt heus wel eens een gaatje tussen de auto's.'
Roef zuchtte. Hij keek naar zijn broers. Die knikten.
'We doen het samen', zei Roef. 'We steken tegelijk over, afgesproken?'
Ze stapelden de bruine pootjes op elkaar om hun afspraak te bezegelen. Toen keken ze alle drie naar Vlokje.
'O, oké dan', zei die zacht.
Aarzelend legde hij zijn witte pootje op de andere.
'Al weet ik niet zeker of ik durf', zei hij zo zacht dat niemand hem verstond.
Even later zaten ze alle vier op een rijtje. Als sprinters in de startblokken. Max was naar de overkant gevlogen. Hij zat op de middenrail tussen de banen in.
'Zet hem op!', riep hij.
Dat dacht Vlokje tenminste. Maar de auto's maakten zo'n lawaai dat hij Max niet kon verstaan.
Zoals altijd had Roef de leiding. Vlokje had al zo veel auto's voorbij zien komen dat hij er duizelig van werd.
Maar op een gegeven moment zei Roef: 'Daar komt een gat. Ik tel tot drie en dan rennen. Klaar voor de start? Eén ... twee ...'
Bij 'drie' schoten de bruine konijnen vooruit. In een ogenblik waren ze bij Max.

Vlokje had zich niet bewogen.
'Wat is dat nou?', riep Roef kwaad. 'Ik zei toch "drie"?'
Vlokje drukte zich tegen de grond. Hij was misselijk van angst. En hij schaamde zich. Waarom durfde hij nou niet over te steken? Toen Roef tot drie had geteld, was het net of hij bevroor.
'En wat nu?', riep Ring kwaad.
'Weet ik niet', piepte Vlokje.
'Kalm. Ik bedenk wel iets', zei Max tegen de drie broers.
'Steken jullie de volgende rijstrook ook maar over. Dan haal ik Vlokje.'
'En hoe wou je dat doen?', zei Roef geïrriteerd.
'Ik heb een idee', zei Max en hij vloog weg.
'Sorry, Max', zei Vlokje met een klein stemmetje, toen de mus naast hem landde.
'Kan gebeuren, kereltje', zei Max. 'Wacht hier. Even iemand halen. Tot zo.'
Vlokje keek Max na toen hij wegvloog. De mus was snel uit het oog verdwenen.
Vlokje schoof wat bij de snelweg vandaan. De auto's gromden. Hij keek omhoog. Af en toe kon hij achter de ruitjes mensen onderscheiden. Een man achter het stuur. Of een hond op de achterbank.
Toen kwam er een gele auto aanrazen. Vlokje keek ernaar. Net de auto van ... Brit!
Vlokje ging op zijn achterpootjes staan. Ja, hij zag haar echt! Brit zag hem ook. Vlokje zag hoe ze wild praatte en gebaarde. Ze keek weer naar hem. Ze wees. Toen was de auto voorbij.
Vlokje begon langs de snelweg te rennen.
'Brit, wacht op mij. Neem me mee!'
Maar het was te laat. Brit was weer verdwenen. Vlokje

haalde zijn neus op. Zijn keel zat dicht van verdriet.
'Hela, was je weggelopen?', klonk de stem van Max. 'Mag ik je voorstellen? Dit is ToeTie.'
Er stond een grote witte gans naast Max.
'Hé, hoe gaat-ie, wit konijntje', gakte ToeTie. 'Ben je een sneeuwkonijntje of een melkkonijntje?'
'Eh, eigenlijk is het meer een oversteekkonijntje', zei Max. 'Want hij moet naar de overkant van de weg.'
'Geen probleem', gakte ToeTie. 'Ik schuif hem er zó overheen.'
Ze zette haar snavel als een bulldozer onder Vlokje en begon hem in de richting van het asfalt te schuiven.
'Ho, stop', zei Max. 'Niet schuiven met het konijn. Straks zit hij onder een auto. En dan is hij plat. En jij trouwens ook.'
'Oehoe, dat is niet oké', vond ToeTie. 'Wat wil je dan?'
'Dat jij Vlokje op je rug neemt', zei Max. 'En naar de overkant vliegt.'

‘Een taxigans, hè?’, zei ToeTie. ‘Tof, man.’
‘Door de lucht? Eh, nee. Niet zo’n best idee’, zei Vlokje. ‘Als ik val ...’
‘Donspizza!’, juichte ToeTie.
‘Je mag ook zelf oversteken’, zei Max streng. ‘Tussen de auto’s door. Gewoon, op eigen houtje.’
‘Ja’, gakte ToeTie. ‘Op je eigen houtje. Op een boomtak. Of een bezemsteel.’
‘Waar heeft ze het over?’, fluisterde Vlokje met zijn kopje vlak bij Max’ oor.
‘Ze is een beetje gek’, fluisterde Max terug. ‘Eet wel eens foute dingen. Paddenstoeltjes. Blauwe winde. Niet erg verstandig.’
ToeTie begon een liedje over vliegen te zingen. Ze danste erbij. De grote ganzenkont zwiepte in het rond.
‘Moet ik op die malle gans gaan zitten?’, fluisterde Vlokje.
‘Tenzij jij een beter idee hebt?’
Vlokje zuchtte. Hij liep naar ToeTie toe.
‘Hé, gans. Kun je een beetje bukken?’
ToeTie maakte zich laag. Vlokje klom op haar rug. Hij hield zich stijf aan de ganzennek vast en kneep zijn ogen dicht.
‘Hatsekidee! Klaar voor de start?’, riep ToeTie. ‘Even een aanloopje nemen.’
Ze liep de berm in, draaide zich om en begon te rennen. Ze sloeg wild met haar vleugels.
Voor Vlokje het wist, zat hij in de lucht. Tenminste, dat dacht hij. Want kijken durfde hij niet. Maar hij had zo’n raar gevoel in zijn buik.
‘Kom, vlieg met me méé, over land over zéé’, brulde ToeTie haar liedje tegen de wind in.

9 Kopje onder

In een oogwenk waren ze aan de overkant van de snelweg. Opgelucht liet Vlokje zich van ToeTies rug glijden. Max stelde de gans aan de andere konijnen voor. ToeTie snaterde nog een tijdje warrig en steeg toen weer op. De konijnen konden haar gegak nog lang boven de wind uit horen.
'Ik ga! Op bezoek bij mijn neven op het Wad. Dikke doei. Later. Mazzel!'
De broers schudden hun hoofd.
'Ik weet het', zei Vlokje. 'Maar ze heeft me goed geholpen. En ik heb gevlogen, voor de eerste keer in mijn leven.'
'Ja, dat is wel dapper', vond Roef. 'Hoe was het? Kon je ver zien?'
Vlokje wilde niet toegeven dat hij de hele tijd zijn ogen dicht had gehouden.
'Nog veel verder dan vanuit een boom', jokte hij. 'En alles was héél klein. Jullie leken wel mieren.'
'Tsjongejonge', zeiden de broers.
Vlokje gaapte.
'Ons kereltje wordt moe', zei Max.
Rijk dacht dat ze beter konden stoppen voor die dag. Een beetje eten. En daarna een hol graven.
Roef keek naar Ring. Die knikte ook.
'O, maar ik ben helemáál nog niet moe', zei Vlokje.
En hij sperde zijn ogen wijd open.
'Ik kan nog gemakkelijk een eind lopen. Kijk maar. Ik ben fit!'

Hij hupte vooruit. De broers volgden hem niet. Vlokje keek achterom.
'Deze kant uit, toch, Max? Kom op, saaie pieten. We kunnen nog best een uurtje door. Ik wil naar Brit. Weten jullie dat ik haar zonet gezien heb? In een auto. En ze heeft mij ook gezien. Kom nou! Het wordt al schemerig. Maar alles is nog goed te zien. Ooh, kijk, wat een mooie platte plantjes. Die voelen vast heerlijk aan mijn voetjes. Weet jij hoe die plantjes heten, Max? Ik ga ze proeven!'
'Niet doen, Vlokje', riep Max nog. 'Dat is ...'
Maar Vlokje luisterde niet. Hij wilde weten of de plantjes lekker waren. Hij rende naar de plek waar het hoge gras overging in het groene veldje. Toen verdween de grond onder zijn voeten. Vlokje viel dwars door de groene plantjes heen. Hij ging direct kopje onder.
'... eendenkroos!', maakte Max zijn zin af.
Geschrokken vloog hij naar de slootkant. De drie broers zaten vlak achter hem.
Hoestend en proestend kwam Vlokje boven, zijn ogen glazig van angst. Hij sloeg met zijn pootjes.
'Zwemmen, Vlokje', riep Roef.
Maar Vlokje verdween weer onder het eendenkroos. Ring rende op de kant heen en weer.
'Hij verdrinkt. Help hem!'
'Wat moeten we doen?', riep Rijk. 'Ik kan ook niet zwemmen.'
Er kwamen luchtbellen boven.
'Dit gaat verkeerd!', riep Max. 'We moeten hem redden. Verzin iets!'
Op dat moment stak een vis zijn kop boven water.
'Problemen, blub?', vroeg hij.
'Onze vriend verdrinkt!', schreeuwde Ring.

‘Oei, blub’, zei de vis. ‘Kan ik helpen?’
‘Kun jij hem boven water tillen?’, riep Max. ‘Daar, bij die luchtbellen.’
De vis dook. Bijna meteen kwam hij weer boven.
‘Vriend ligt op bodem. Ziet er niet goed uit. Blub, snel! Breek rietstengel af!’
Max vloog naar een pol riet en brak een lange steel af om aan de vis te geven. Niemand begreep wat die ermee wilde. De vis dook met de stengel onder water. De broers en Max tuurden naar het oppervlak. Wat gebeurde er toch?
Toen verscheen de vis weer.
‘Waar is Vlokje?’, schreeuwde Rijk.
‘Kalm, blub’, zei de vis. ‘Komt zo. Kijk maar.’
Hij zwom naar een plaats waar kleine bellen op het wateroppervlak verschenen. Ineens zagen ze een stukje riet boven het water uit steken. Het verplaatste zich steeds meer naar de kant.
Roef, Rijk en Ring zaten tegen elkaar aan gedrukt op de oever. Max was op Rings rug gaan zitten.
Toen zagen ze het riet verder omhoogkomen. Het werd steeds langer ...
En daar was Vlokje. Hij haalde adem door de rietstengel in zijn bek. Toen zijn hoofd boven water kwam, spoog hij hem uit. Hij was kleddernat. Maar hij keek opgelucht.
Rijk en Roef hielpen hem op de kant. Vlokje wankelde tussen hen in naar een veilig plekje. Daar viel hij neer. Hij was weer helemaal wit. Alle modder was van hem afgespoeld. Hij bibberde.
De vis had het allemaal vanuit het water gevolgd.
‘Gelukkig, blub, helemaal weer in orde’, zei hij. ‘Tot blups.’
Roef riep: ‘Dankjewel, vis. Je hebt zijn leven gered.’

De vis zwaaide met zijn staart ten afscheid. En hij dook weer onder water.
Roef, Rijk en Ring waren intussen bezig Vlokje droog te wrijven met plukken droog gras.
'Gaat het?', vroeg Max.
'Een vis is een goed dier', zei Vlokje loom.
Toen vielen zijn ogen dicht.
'Hij is uitgeput', zei Roef. 'Ring, zoek jij een plek om een hol te graven. We blijven hier vannacht.'
De broers maakten snel en vakkundig een schuilplaats. Ze hadden een mooie plek gevonden onder een vlierstruik.
Vlokje hoefde niet mee te helpen. Daar was hij blij om. Van graven werden je pootjes vies. En daar vond hij niks aan.
'Waarom kunnen we niet doorlopen?', probeerde hij nog.
'Ik wil naar Brit.'
Roef antwoordde: 'Brit ligt al in bed. Het is laat. 's Nachts is het bos vol roofdieren. En jij valt met je witte vacht veel te veel op.'
'Ik ga wel weer door de modder rollen', zuchtte Vlokje.
'Zelfs daar ben je te slaperig voor', meende Rijk.
'Niet waar', zei Vlokje en hij gaapte.
'En wij zijn ook moe', zei Ring. 'Zo, het hol is nu wel groot genoeg voor ons vieren. Nog wat eten. En daarna lekker slapen.'
Vlokje deed wat hem gezegd was. Daarna kroop hij in het hol tussen Rijk en Ring in. Lekker warm. Meteen viel hij in slaap.

10 Zigzaggen

De volgende ochtend gingen ze weer vroeg op stap. Het was een beetje mistig. De meeste vogels waren nog niet eens wakker. Vlokje had zichzelf alweer uitgebreid vies en bruin gemaakt in een modderplas.
Na een tijdje kwam Max luid kwetterend aangevlogen.
'Verderop loopt een vos', zei hij schril. 'O, verenbossen nog aan toe, vlieg weg. Als hij jullie ziet ...'
'We hebben onze vleugels niet bij ons, Max', zei Roef.
'Misschien kunnen we om hem heen sluipen?', stelde Ring voor. 'Een boog door het bos maken?'
Vlokje hipte van zijn ene pootje op zijn andere. Hij zei niks. De anderen vroegen hem ook niks. Soms was het net of hij er niet bij hoorde.
'Ik ga kijken waar hij nu is', zei Max en hij vloog weer op.
'Foute boel', zei hij even later toen hij weer landde. 'De vos komt precies deze kant op. En snel ook. Jullie moeten naar het noorden vluchten.'
In de verte klonk een knal.
'Ren nou weg!', drong Max aan.
'Maar niet naar het noorden', zei Rijk. 'We gaan naar het zuiden!'
Rijk en Ring knikten toen ze dat hoorden.
'Recht op de vos af?', jammerde Max. 'Is het jullie in je bol geslagen?'
'Ik heb een plan', zei Roef. 'Vertrouw me. Samen staan we sterk.'

Hij stak zijn voorpoot uit. Rijk en Ring legden hun poot op de zijne. Roef keek Vlokje schuin aan.
'Jij ook.'
Vlokje legde zijn vieze pootje op de drie bruine.
Er klok weer een knal. Wat dichterbij nu.
'Rennen nu, zo hard jullie kunnen', gebood Roef. 'En niet in een rechte lijn, hè? Maak die vos in de war. Jij ook, Vlokje. Probeer ons bij te houden.'
De drie broers spurtten weg. Achter elkaar. Vlokje volgde. Ze zigzagden door het gras.
Max was weer omhoog gefladderd.
'Recht op de vos af', piepte hij. 'O, wat verschrikkelijk oliedom.'
Vlokje hield de broers maar met moeite bij. Ze waren razendsnel. Renden voor elkaar langs. Dan weer een beetje uit elkaar. Dan weer vlak naast elkaar. Ze sprongen over stenen en stronken.
'Daar is hij. Niet afremmen nu', riep Roef. 'Zigzaggen en verspreiden.'
En toen zag Vlokje de vos staan onder een scheve dennenboom. Hij leek ook te hijgen.
De konijnen renden recht op de vos af. Vlokje was doodsbang, maar hij bleef achter Ring aan hollen.
Opeens boog Rijk af naar links en Roef naar rechts. Dat leek de vos in de war te brengen.
Ring sprong eerst naar links, maar op het allerlaatste moment boog hij af.
De vos aarzelde. Hij wilde een konijn pakken. Maar welk?
Vlokje probeerde niet na te denken. Als hij bleef staan, was hij er geweest. Dat was wel zeker. Hij bleef achter Ring aan rennen.
De vos tilde een poot op. Hij draaide verward om zijn eigen

as. De konijnen bouwden een voorsprong op. Maar toen zette de vos de achtervolging in, achter Roef en Rijk aan. Vlokje rende wat verderop. Hij werd moe. Hij had nog nooit zo'n eind gehold. In de ren hipte hij maar wat heen en weer. Vlak voor hen klonk nu weer een keiharde knal. Vlokje sprong van schrik een stukje omhoog.
'Hou vol', riep Roef schor. 'We zijn er bijna.'
Wáár zijn we bijna?, dacht Vlokje.
Hij rook dat de vos steeds dichterbij kwam.
O, was hij maar weer thuis. Bij Brit.
Toen hij zijn ogen weer opendeed, schrok hij. Tien meter voor hen stond een man in een groen pak. Hij had een pet op en een bril met heel dikke glazen op zijn neus. Hij had een lang ding in zijn hand.
De drie broers aarzelden niet.
'Recht op Fokkeman af', brulde Rijk.
Recht op de jager af?, dacht Vlokje. Was Rijk gek geworden? Moest hij naar een jager rennen? Maar een jager was toch ... een man die dieren doodschoot?
De jager zette het lange ding gehaast tegen zijn schouder. Hij tuurde over een ijzeren stang. Hij trok aan een haak. En toen klonk er toch een knal! Zó hard. Vlokjes oren deden er pijn van. Van schrik viel hij voorover. Hij rollebolde door.
'Daar heeft de vos niet van terug!', juichte Roef.
Ze waren net de jager voorbij. Vlokje krabbelde overeind. De drie broers waren blijven staan om achterom te kijken. Vlokje verborg zich achter hen. Ze hijgden alle vier zo hard dat hun tongen uit hun bekjes hingen.
Fokkeman had geen moment aandacht voor de konijnen gehad. Hij had geschoten op de vos. Die maakte dat hij wegkwam met grote sprongen. Vlokje zag nog net zijn pluimstaart tussen de bomen verdwijnen.

'Net goed!', riep Roef.
Hij had zo'n pret dat zijn buik ervan schudde.
'Heb je die vos zien lopen?'
'Er vloog haar in het rond', genoot Rijk.
'Erg gewond was hij anders niet', zei Roef.
'Waarom renden jullie nou naar die jager toe?', vroeg Vlokje verbijsterd. 'Een jager schiet toch ook konijnen?'
Roef sloeg Vlokje op zijn schouder.
'Niet als er een vos in de buurt is, knul', zei hij. 'Een jager schiet honderdmaal liever een vos dan een konijn. Zo'n roofdier is een veel mooiere buit.'
'Bovendien is Fokkeman zo scheel als een otter', grinnikte Roef. 'Hij ziet bijna niks door die dikke bril van hem. Ik heb die man nog nooit raak zien schieten.'
'Maar dat weet de vos niet?', vroeg Vlokje ademloos.
'Dat weet de vos niet', grijnsde Rijk. 'Iedereen denkt dat vossen zo slim zijn. Maar weet je ... konijnen zijn veel slimmer.'
'Echt waar?', zei Vlokje.
'Echt waar', pochte Rijk. 'Konijnen zijn de slimste dieren van de hele wereld.'
'Ahum', zei Max en hij trok zijn snavel in een kreukel.
'Samen met mussen', zei Rijk haastig.

11 Weer in de nor

Ze liepen door allerlei achtertuinen. Max vloog nog altijd voorop.
'We zijn er bijna', riep hij.
Vlokjes hart sprong op.
Thuis!, dacht hij. Hij zou Brit weer zien en Knabbelhapjes voor de Kleine Knager krijgen.
'Wat zal Brit opkijken', zei Max. 'Het is woensdagmiddag, dus ze heeft vrij van school. Ik ga kijken waar ze is. Misschien speelt ze buiten. Of anders tik ik wel tegen de ruit. Ik vlieg even vooruit. Gewoon doorlopen. Nog een tuintje of tien. Tot zo!'
En weg was Max.
'Weet je het zeker?', vroeg Roef.
Hij keek Vlokje dwingend aan.
'Wat?'
'Dat je je weer wilt laten opsluiten. Opnieuw in de nor.'
'De nor?'
'De bak. De kast. De bajes. De petoet. Sing sing.'
'Hè?', zei Vlokje.
Hij begreep er geen snars van.
'De gevángenis!', zei Roef luid. 'Achter gaas. Alleen.'
Vlokje haalde zijn schouders op.
'Ik voel me prima achter gaas. Veilig. Geen sloten om in te vallen. Geen auto's die je overrijden. En Brit haalt me bijna elke dag uit het hok. Om te aaien. Of om binnen te spelen.'
'Binnen?', vroeg Rijk.

'Ja, in huis. Dan ga ik strikjes passen. Of we kijken televisie.'
'Wat is "televisie"?', vroeg Ring.
'Een kastje met kleine mensjes en diertjes erin. Ja, dat weet jij weer niet, hè?', zei Vlokje.
'Mal tam konijn', mopperde Ring.
Max was terug. Hij streek neer voor Vlokje.
'Slecht nieuws', zei hij. 'Brit is niet thuis.'
'Hè, jammer', zei Vlokje teleurgesteld.
'Maar ik weet wel waar ze is', zei Max. 'Er ligt een krant op tafel. Het is vandaag de eerste.'
Vlokje sperde zijn ogen wijd open.
'De eerste van de maand? Dat is de dag van de Jonge Dierendag', zei hij. 'Zou Brit er zonder mij heen zijn?'
'Ik denk het', zei Max.
'De tentoonstelling is in het buurthuis', wist Vlokje. 'Weet jij waar dat is?'

‘Natuurlijk’, zei Max. ‘Wil je ernaartoe dan?’
Vlokje knikte.
‘Brit heeft me nodig om een prijs te winnen.’
‘Nou, dan gaan we toch?’, zei Max. ‘Wat zal ze opkijken. O, daar heb je die engerd weer. Pas op, jongens.’
Max vloog naar de nok van het dak. Daar begon hij schril te fluiten om andere mussen te waarschuwen.
Vlokje draaide zich om. Door de margrieten heen kwam kater Karel aansluipen. Hij keek vals.
Vlokje sprong omhoog.
‘O, help! Gevaar! Vlucht!’
Roef, Rijk en Ring bekeken de kater. Roef trok zijn mondhoeken op.
‘Vlucht? Voor die theemuts? Je maakt een grapje!’
‘Karel is gemeen. Hij noemt me “hapje”. Hij wil me opeten.’
‘Die volgevreten worst?’, zei Ring. ‘Die kan nog niet een dooie muis vangen. Zijn buik sleept over de grond.’
Vlokje verborg zich achter de broers.
‘Nou, ik vind hem griezelig’, zei hij.
‘Dat knappen wij wel op’, zei Rijk. ‘Samen staan we sterk.’
Hij wipte naar de kater toe en riep: ‘Hé, theemuts!’
‘Bedoel je mij?’, zei Karel met een valse blik.
‘Zie jij hier nog een theemuts?’, vroeg Rijk. ‘We hoorden dat jij onze witte vriend wel eens lastigvalt.’
Roef en Ring waren intussen aan weerszijden van hun broer komen staan. Met hun voorpootjes in hun zij.
Karel kneep zijn ogen tot spleetjes. Zijn staart zwiepte heen en weer. Maar hij zei niks.
‘Niet meer doen, hè?’, zei Rijk. ‘Niet meer kleine konijntjes pesten. Als ik nog eens een klacht over je krijg …’
Karel dook in elkaar alsof hij Rijk wilde bespringen. Maar Rijk liep op hem af, pakte de snorharen aan Karels kop vast

en trok er hard aan. Karels kop werd tweemaal zo breed.
Opeens liet Rijk de snorharen weer los.
Ploing!
Karels kop sprong weer in model.
'Dan vouwen mijn broers en ik je op.'
'En dan douwen we je door een brievenbus', deed Roef een duit in het zakje.
Hij prikte met een voorpootje in Karels borst om elk woord kracht bij te zetten.
'Een smalle.'
'Nadat we je staart vol knopen hebben gelegd', zei Ring en hij begon alvast aan de eerste knoop.
Karel knipperde met zijn ogen en liet een verstikt gemiauw horen. Hij rukte zijn staart uit Rings poten. Veel sneller dan je zou verwachten, verdween hij weer tussen de margrieten.
Rijk stak zijn duim op.
'Zo. Van die rode theemuts heb je voorlopig geen last meer.'
'Dan nu naar het buurthuis', zei Max en hij vloog op.

12 Leuk petje, Brutus

Er liepen mensen af en aan naar het buurthuis. Kinderen met aangelijnde honden, met katten in een mand, met kippen in een krat.
Vlokje, Roef, Rijk, Ring en Max zaten in het bloemperkje bij het plein. Ze bekeken iedereen die het buurthuis binnenging of verliet.
'Zie je Brit ook?', vroeg Roef.
Vlokje schudde zijn kop.
'Ze zal wel binnen zijn.'
'Dan moeten jullie ook naar binnen', zei Max.
'Wij zijn dieren van het veld. Wij gaan geen gebouwen in', zei Ring.
Vlokje kon horen dat hij bang was.
'Ik ga wel alleen', zei Vlokje zacht. 'Ik vind Brit heus wel.'
Een herdershond begon hard te blaffen. De konijnen doken geschrokken in elkaar.
'Ik ga met je mee', zei Max. En tegen de broers: 'Hij is te jong om alleen te gaan. Straks verdwaalt hij. Ik dacht dat jullie zulke binken waren.'
'Wij horen niet tussen muren', zei Roef.
'Bang?', vroeg Max liefjes.
Roef maakte zich breed.
'Bang? Nooit! Niet eens voor de jager.'
'Niet voor de havik', zei Rijk.
'Niet voor onweer', zei Ring.
'Kijk eens aan', zei Max fijntjes. 'We gaan allemaal met je

Jonge

mee, Vlokje. We blijven bij je tot je Brit vindt.'
Vlokje keek hen dankbaar aan. Roef schraapte zijn keel.
'Hoe moeten we naar binnen? We komen nooit de voordeur in. Honden, katten, mensen. Iemand heeft ons te pakken voor we over de drempel zijn, dat is wel duidelijk.'
Ze besloten om het gebouw heen te lopen. Max dacht dat er misschien een achterdeur of een ruitje open zou staan.
En dat was zo. Aan de achterkant van het gebouw stond een deur open. Maar het was wel een balkondeur op de eerste verdieping.
Max vloog omhoog en ging op de balustrade zitten.
'Hierlangs zijn we zo binnen', riep hij.
De broers keken teleurgesteld omhoog.
'Daar komen we nooit, mus', zei Rijk. 'Denk je dat we recht tegen een bakstenen muur omhoog kunnen klimmen?'
'En wat nu?', vroeg Vlokje.
'Hatsekidee', hoorden ze in de verte. 'Kom, vlieg met me méé, over land, over zéé.'
Vlokje draaide zich om en kneep zijn ogen tot spleetjes.
Hij begon met zijn pootjes te wapperen en riep: 'Hé, ToeTie, ToeTie! Hierheen!'
Blijkbaar had de gans hem gehoord, want ze veranderde van richting. Met veel vleugelgeklapper landde ze voor de konijnen.
'Yo, ben ik onderweg naar mijn neven op het Wad, zie ik opeens mijn vriendjes staan', zei ze. 'Hoe gaat-ie?'
'Fijn je te zien, ToeTie', zei Vlokje. 'We willen graag het gebouw in. Daarlangs.'
En hij wees omhoog.
'Geen probleem, vriendje', zei de gans. 'Wie wil er als eerste een lift van ToeTie?'
Omdat Vlokje al eens eerder op de gans had gezeten, ging

hij als eerste. Hij zag hoe benauwd de drie broers keken. Daardoor voelde hij zich reuzemoedig.
Al snel stonden alle konijnen op het balkon.
'Wat gaan jullie nu doen?', vroeg ToeTie.
'Naar beneden, Brit zoeken', zei Vlokje. 'Beneden is een soort van tentoonstelling met allemaal dieren.'
'Ik ben ook een dier. Ik ga mee', zei ToeTie. 'Dan wachten mijn neven maar even.'
Ze liepen een kamertje door en gingen een trapje af. Toen stonden ze aan het begin van een donkere gang. In de verte was het licht. Daar liepen ook veel mensen een zaal in en uit.
'Daar moeten we zijn. Kijk ontspannen voor je uit', zei Roef. 'Doe of het heel gewoon is dat we hier zijn.'
En zo kwam het dat er vier konijnen, een gans en een mus de grote zaal van het buurthuis binnengingen. Tussen allerlei mensen door die daar zaten te wachten met hun huisdier.
Wat was het er heet. En vol!
Vlokje zag vooral benen. Hij keek omhoog.
Wat veel mensen.
Oei. Bijna stapte er iemand op hem. Hij sprong opzij.
'Nummer 48', klonk er door een luidspreker. 'Nummer 48. Kim Jansen met haar konijn Huppel. Jullie kunnen naar de keurmeester komen.'
Een meisje met witblond haar stond op. Ze deed een mand open en nam er een konijn uit. Een wit konijn met heel lang haar. Je kon niet eens zien wat zijn voor- of achterkant was. Het meisje liep naar voren. Ze zette het konijn op een tafel.
'Kijk, mama, daar lopen konijntjes los! En een gans. Zouden die ontsnapt zijn?', zei een klein meisje.
Ook andere mensen keken hun kant nu op.

'Loop door', siste Roef. 'We moeten snel zijn. We trekken te veel aandacht.'
'Het ruikt hier akelig', zei Rijk.
Hij was bleek om zijn neus.
'Naar hond en kat.'
'Ja, duh. Het zit hier ook vól met honden en katten', zei Max, die meereed op de rug van Ring.
'Tof is het hier', juichte ToeTie. 'Kijk, een kip! Tok tok!'
Ze begon luid te kakelen. De konijnen probeerden haar zoveel mogelijk te negeren.
'Heb je Brit al gezien?', vroeg Vlokje aan Max.
De mus schudde zijn hoofd.
'Weet je wel hoe veel meisjes hier binnen zitten? Met zwart haar. Met wit haar. Met bruin haar.'
'En met rood haar?', vroeg Vlokje.
'Ook', zei Max.

‘En bruine vlekjes op hun neus?’
‘Verderop zit er eentje’, zei Max.
‘Dat is vast Brit!’, riep Vlokje. ‘Ik ga haar zoeken.’
En zonder op de anderen te wachten, sprong hij verder naar de hoek van de zaal. Maar voor hij er was, hurkte een jongetje naast hem.
‘Hé, viezerd’, zei hij.
Hij stak zijn hand uit.
Vlokje keek naar de trui van het jongetje. Alsof die zo schoon was.
‘Nummer 49’, klonk de blikken stem. ‘Bert Jansen met zijn cavia Brutus.’
‘O, ik ben aan de beurt’, zei het jongetje en hij zette zijn pet extra scheef.
Hij liep naar een emmer en haalde er een cavia aan zijn nekvel uit. De cavia had ook een petje op.
‘Zet me neer, griezel!’, riep hij en hij trapte met zijn poten. ‘Ham ham ham. Ik bijt je. Ik grijp je. Je bent een boef!’
‘Brutus!’, riep Vlokje verbaasd. ‘Ben je het echt?’
Van schrik bleef Brutus stil hangen. Hij keek omlaag.
‘Nee, maar! Sukkeltje! Hebben ze je nog niet opgevreten?’
Vlokje gniffelde.
‘Geinig petje, Brutus. Ik dacht dat jij niet verkocht wilde worden.’
‘Ik heb gevochten’, zei Brutus mat. ‘Maar dat snertjochie trok zich er niks van aan.’
Bert plofte hem op een tafel.
‘Ik krab hem aan flarden’, gromde Brutus. ‘Ik pik dit niet.’
Bert schoof hem hardhandig naar het midden van de tafel. Brutus liet zijn grote, gele tanden zien en gromde. Vlokje zag hoe de keurmeester achteruit schoof.
‘Agressief beestje’, zei hij. ‘Bijt hij wel eens?’

Hij pakte Brutus bij zijn rug, draaide hem om en keek in zijn mond.
'Ggg huh', zei Brutus.
'Mmmm', zei de keurmeester. 'Zijn tanden zijn te lang.'
Hij zette Brutus weer neer en aaide over zijn rug.
'Handen thuis!', snauwde Brutus.
'Hij heeft een slappe beharing', zei de keurmeester. 'Niet zo fraai. En een vouwoor. Deze cavia is een fokfout.'
'Krijg ik nou geen prijs?', vroeg Bert.
De keurmeester schudde zijn hoofd.
'Niet vanwege de cavia, hoor. We kijken vooral naar de baasjes. Hoe die met hun beesten omgaan.'
Bert tilde Brutus weer aan zijn nekvel op.
'Je moet de cavia met twee handen oppakken', zei de keurmeester met een zuinig gezicht.
'Zo gaat het ook prima', zei Bert, terwijl hij Brutus weer in de emmer plofte.
'Oef', zei Brutus. 'Tot ziens, sukkeltje.'
Vlokje moest lachen.
'Ik vraag me af wie hier het sukkeltje is', zei hij. 'Verlies je petje niet.'
'Nummer 50. Els de Zeeuw met haar konijn Droppie', klonk het door de microfoon.
'Succes', hoorde Vlokje een bekende stem zeggen.
Hij spitste zijn oren en keek speurend rond waar die stem vandaan kwam.
Ja! Daar was ze. Ze was het!

13 Ik ben terug

'Brit!', riep Vlokje.
Hij sprong naar Brit toe. Ze liep achter haar vriendinnetje Els aan naar de tafel van de keurmeester. Ze zag Vlokje niet.
'Brit! Wacht op mij!', riep Vlokje.
Hij sprong naar Brits broekspijp en trok eraan. Toen keek Brit verbaasd omlaag.
O, ze herkent me niet, dacht Vlokje.
Hij was natuurlijk veel te vies. Hij ging op zijn achterwerk zitten en zwaaide met zijn voorpootje.
Brits ogen lichtten op. Ze viel op haar knieën. Haar gezicht was nu vlakbij Vlokje.
'Ben je het echt?', zei ze.
Vlokje knikte.
Brit aaide over zijn rug. Een huivering van genot trok door Vlokje heen.
'Wat zie je eruit', zei Brit. 'Helemaal onder de modder. Waar heb je gezeten?'
'Nummer 51. Brit Klaver met haar konijn Vlokje', riep de keurmeester in de microfoon.
'Brit doet niet mee', zei Els. 'Want ze is haar konijn ...'
'Aan het oppakken!'
Brit dook opeens tevoorschijn. Haar wangen waren rood.
Els keek verbaasd naar haar vriendinnetje. En toen naar het vieze konijn in haar handen.
'Wat heb je dáár nou?'
'Het is Vlokje. Hij is terug!', zei Brit.

En ze keek heel blij.
'Ja', knikte Vlokje. 'Ik ben terug!'
Brit zette Vlokje voorzichtig op de tafel bij de keurmeester. Ze aaide over zijn rug.
Vlokje draaide zich om. Hij duwde zijn neus tegen Brits hand. Hij liep langs haar mouw en duwde zijn kop in de holte onder haar arm. Brit lachte en zette hem voorzichtig weer midden op de tafel.
'Dit konijn ziet er niet erg verzorgd uit', zei de keurmeester.
'Dat weet ik', zei Brit. 'Maar hij was weg. Er zat een gat in zijn ren. En ook in het gras. Papa zei dat een vos dat gedaan had. Dus we dachten dat hij gepakt was.'
'Dat klopt', knikte Vlokje. 'Ik was ontvoerd! Ik heb een tijd in het Wortelveld gewoond. Mijn vrienden hebben me weer thuisgebracht.'
Maar dat verstonden die mensen natuurlijk weer niet, want de keurmeester vroeg: 'Hoe komt hij hier dan?'
Brit haalde haar schouders op.
'Geen idee.'
'Hij zal wel niet zelf hiernaartoe gelopen zijn', lachte de keurmeester. 'Tjonge, dat konijntje is wel dol op je.'
Vlokje zat alweer tegen Brits hand aan te duwen.
'En ik op hem', zei Brit. 'Ik ben zo blij dat hij terug is. Thuis ga ik hem fijn wassen. En zijn nageltjes knippen.'
'En een bak vol Knabbels voor de Kleine Knager geven', zei Vlokje genietend. 'En een strikje om mijn oor knopen.'
'Dat méén je niet', klonk er bars van de vloer.
Het was stil in de zaal geworden. De mensen staarden met hun mond open naar één punt. Naar een plek voor de tafel van de keurmeester. Daar stonden een gans en drie bruine konijnen. De middelste had een mus op zijn rug.
'Hoi jongens', riep Vlokje.

jonge
dierendag

Hij was naar de rand van de tafel gewipt.
'Ik heb Brit gevonden.'
'En alles is goed?', vroeg Roef.
'Alles is goed', zei Vlokje. 'Ik ga weer met Brit mee naar huis.'
'Niet slim om je weer op te laten sluiten', zei Roef. 'Maar als dat is wat je wilt, moet je het zelf maar weten.'
'We komen je nog wel eens opzoeken', zei Ring.
'Ik breng de drie broers terug naar het Wortelveld', zei Max. 'En daarna zoek ik je op in de tuin.'
'Je hoeft ons heus niet weg te brengen, mus', zei Roef mopperig. 'We vinden zelf de weg wel. Konijnen hebben een perfect gevoel voor richting.'
Hij draaide zich om en wipte zo de dames-wc binnen. Toen hij terugkwam, zei hij stug: 'Daar is ook alles veilig.'
Vlokje moest lachen.
'Ik ga die konijnen pakken en die gans', riep Bert en hij sprong zo wild van zijn stoel dat die omviel.
'O nee', zei Roef. 'Wegwezen.'
Zigzaggend verdwenen de drie broers naar de uitgang van de zaal. Max en ToeTie vlogen achter hen aan.
De keurmeester schudde zijn hoofd.
'Drie wilde konijnen, een mus en een gans. Zoiets heb ik nog nooit meegemaakt. Wat deden ze nou? Als ik niet beter wist, zou ik zeggen ...', hij hapte naar adem, '... dat ze met jouw konijn stonden te praten.'
Hij voelde aan zijn voorhoofd.
'Misschien heb ik frisse lucht nodig. Ja, dat zal het zijn. Vind jij het hier ook zo benauwd?'
Brit knikte.
'Kan iemand een raampje openzetten?', vroeg de keurmeester.

14 Roffel roffel roef

Het was donker buiten. De maan kwam af en toe achter de wolken vandaan. De kerkklok sloeg drie uur. Brit sliep allang. En papa en mama ook.
Maar in de tuin was het een drukte van belang. Bij de ren van Vlokje zaten vier konijnen, een mus en een gans. Ze wilden allemaal weten hoe het met Vlokje ging. Het was al een week geleden dat ze hem voor het laatst gezien hadden.
Vlokje zat voor het gaas. Hij had een paars strikje om zijn oor.
'Is dit uw hol, meneer Vlokje?', vroeg Knibbel.
'Het heet een ren', zei Vlokje. 'Het is een nieuwe. De papa heeft hem zelf gekocht. Hij had geen tijd om er eentje te timmeren. En ook geen zin trouwens.'
'Uw ren is heel groot', zei Knibbel.
'Jahaaa', zei Vlokje tevreden. 'Het is meer een konijnenvilla. Dat heeft Brit er ook op geschilderd aan de zijkant van het nachthok. Zie je wel? *Villa Vlokje*. Twee verdiepingen, hè? Beneden kan ik lopen. En als ik langs dat trapje omhoog ga, kom ik in het nachthok. Daar slaap ik.'
'Tof', zei Knibbel.
'Je hebt het mooiste nog niet gezien.'
Vlokje wipte een stukje verder.
'Hier loopt een pijp, die gaat naar die deur en hup ...'
Vlokje was opeens weg.
'Waar is meneer Vlokje nu?', vroeg Knibbel.
'Ik denk dat hij het huis in kan', zei Roef.

ViLLA
VLOKJE

En ja. Daar kwam Vlokje weer uit de pijp. Hij had een pakje in zijn bek.
'Wat is dat?', vroeg Ring.
'Een pak Knabbelhapjes voor de Kleine Knager', zei Vlokje. 'Brit en ik hebben er honderd gewonnen. We hadden de eerste prijs op de Jonge Dierendag.'
'Terwijl je eruitzag als een klont modder?', vroeg Roef.
Vlokje moest lachen.
'Ja. Hoe de baasjes met de dieren omgingen, dat vond de keurmeester het belangrijkst. Of ze lief waren voor de dieren en of de dieren van hun baasjes hielden. En ik ben nogal dol op Brit. Ik zwaai vaak naar haar. Zó!'
En Vlokje zat alweer op zijn achterwerk. Met zijn voorpootjes omhoog.
Ring draaide met zijn ogen.
'Tam konijn', mompelde hij.
Vlokje beet de verpakking van de Knabbelhapjes stuk. Heel wat hapjes vielen in het gras. De drie broers en Knibbel keken begerig toe. Hun snuffelneusjes gingen heen en weer. Wat zag dat er lekker uit!
'Heb je er een paar over?', vroeg Roef.
'Tuurlijk', zei Vlokje. 'Alleen ... het gaas zit nogal in de weg.'
'Geen probleem voor Max.'
De mus sprong door het gaas heen. Hij pakte een paar knabbels in zijn snavel en wipte ze naar buiten. Toen begon Vlokje ook Knabbelhapjes naar buiten te werken voor zijn vriendjes. ToeTie bleek er ook verzot op te zijn.
Knibbel kreunde van genot, toen hij de hapjes proefde.
'Ik wil ook een tam konijn worden', zei hij. 'Later, als ik groot ben.'
'Doe niet zo gek', mopperde Roef. 'Wilde konijnen willen niet in een hok. Zeg maar "tot ziens" tegen meneer Vlokje.

We gaan weer. Hou je haaks, Vlok. We komen snel weer eens langs.'
'Ik wil meneer Vlokje eerst mijn nieuwe solo nog laten horen', zei Knibbel.
'Vooruit dan maar', zei Roef.
'Hij zit vol "pata fla fla"', zei Knibbel.
Hij begon met een achterpootje op het gras te roffelen. Eerst losse slagjes. Die gingen over in een basisritme. Maar het duurde niet lang of het ging swingend van: 'Roffel fla ma diddel. Roffel roffel roef.'
'Wat een geweldig muziekje', juichte ToeTie. 'Tut tut. Pff Pff.'
Ze begon wild klapwiekend haar ganzendans te dansen. Vlokje ging meespringen.
'En nou allemaal', zei ToeTie.
Ze schudde met haar grote achterwerk en sprong in het rond. De broers begonnen aarzelend mee te zingen. Max floot een mussenlied in het strakke ritme.

Het werd zo'n herrie in de tuin van de familie Klaver dat Brit er wakker van werd.
'Wat hoor ik nou?', zei ze.
Ze klauterde slaapdronken haar bed uit. Ze klikte haar dakraam los en keek naar buiten.
Onder haar, in de maanverlichte tuin, zag ze allerlei dieren om de konijnenren springen. De dieren maakten muziek. En Vlokje deed mee.
'Wat een grappige droom', zei Brit met een vage glimlach. Ze scharrelde naar haar bed terug en kroop weer onder het dekbed.